풍경, 아카이브

이 도서의 국립중앙도서관 출판예정도서목록(CIP)은 서지정보유통지원 시스템 홈페이지
(http://seoji.nl.go.kr)와 국가자료종합목록 구축시스템 (http://kolis-net.nl.go.kr)에서
이용하실 수 있습니다.
(CIP제어번호 : CIP2019019874)

풍경, 아카이브

2019년 5월 22일 초판 1쇄 인쇄
2019년 5월 30일 초판 1쇄 발행

지은이 | 전기철
펴낸이 | 孫貞順

펴낸곳 | 도서출판 작가
　　　　(03756) 서울 서대문구 북아현로6길 50
　　　　전화 | 02)365-8111~2　팩스 | 02)365-8110
　　　　이메일 | morebook@naver.com
　　　　홈페이지 | www.morebook.co.kr
　　　　등록번호 | 제13-630호(2000. 2. 9.)

편집 | 손희 최서영
디자인 | 오경은 박근영
영업 | 손원대
관리 | 이용승

ISBN　978-89-94815-95-4 03810

잘못된 책은 구입하신 서점에서 바꾸어 드립니다.

값 10,000원

풍경, 아카이브

전기철 시선집

작가

■ 시인의 말

나는 오래 전부터 불안, 강박, 공황 장애를 앓아 왔다. 그걸 가끔 술에다, 그리고 자주 시에다 감췄다. 나를 견뎌줘서 고맙다, 시야, 언어의 꽃다발아.

퇴임기념시집을 묶어준 숭의여대 문창과 동문회에 감사드린다.

2019년 봄
전기철

차 례

제2부

제3부

제4부

제5부

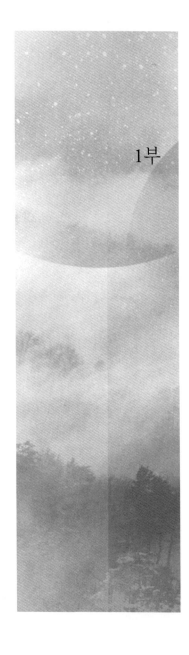

1부

여름 가족

사물 A는 아버지 흉내를 낸다. 분명 이 빠진 사기그릇인데 사물 A는 아버지인 척 헛기침을 하며 사물 B를 연주한다. 찌그러진 양재기인 사물 B는 내 어머니인 양 사물 A에 맞춰 우는 소리를 낸다. 새벽 기침처럼 울리는 곡조에 돌연 사물 C가 된 내가 참회를 닮은 자조를 뱉으면 길어진 아침의 혈관으로 빗물이 스며든다. 낯선 계절에 갇힌 아침, 칙칙한 초록의 나라, 함석지붕으로 비가 불협화음을 뿌리고, 무채색의 여름 속으로 뛰어 들어간 사물 C는 파랗게 질린다.

한여름 밤의 꿈

세상은 마법에 걸렸어요.
이스라엘 사람 유리 겔라가
숟가락을 구부리는 밤
모두들 티브이 앞에서
알라딘의 요술 램프를 쓰다듬듯이
숟가락을
밥 먹는 숟가락의 고개를
부러뜨리는 밤
그 한여름 밤에
나는 알바에서 잘려 행복에 시달리며
동물원으로 표범을 보러 갔어요.
그 한여름 밤에
모두들 숟가락을 부러뜨리는 밤에
동물원의 담을 넘었어요.
먼 아프리카의 꿈을 만나러
한여름 밤에
숟가락을 구부리는
그 한여름 밤에

세상의 담을 넘었어요.
유리 겔라가 숟가락을 부러뜨리는 밤에
아프리카의 밤을 만나러 갔어요.
숟가락들이 부러지는 밤에
세상의 담을 넘었어요.
어머니는 아직도 배추를 다 팔지 못해
돌아오지 못하고 있는 그 밤에

누이의 방

아내를 따라 백화점에 갔다가 아내가 0이 너무 많이
달린 옷을 집으며
나를 힐끗, 하기에
어떻게 우리 형편에 그렇게 배짱이 좋으냐고 쏘아붙
이고는
휙 나와 찬바람 속을 걷는데
여동생의 얼굴이 몇 십 개의 동그라미로 어른거린다.

망설이고 망설이다가
전세금이 올랐는데 빌릴 데가 없다며
0을 모두 말하지 못하고 두 장을 얘기하기에
나는 이천이냐고 물으니
깜짝 놀라며 0을 하나 빼고
다섯 장이 올랐는데 어떻게 두 장 안 되겠느냐고 하던
누이

0을 하나 더 빼고 보냈더니
고맙다고 수십 번도 더한 누이

어머니에게 절대 말하지 말아달라고 한 누이
이혼하고 두 아이를 혼자 키우며
팔십만 원짜리 간병인으로 살아가는 누이

아내는 저만치
까맣고 조그만 0을 달고
하나짜리 0을 달고 수많은 0들 사이로 뒤따라온다.
둘이서 말없이 지하철을 타는데
그날따라 지하철은 왜 그렇게 롤러코스터인지.
앞자리에 앉은 까만 0들은 또 얼마나 무참히도 찌그
러져 있는지.

오빠, 물속에서 누가 오래 참을 수 있는지 내기 할래?
백만 원이다!

형

형은 빌리 할러데이의 〈불행해서 기뻐요〉로 연명했다.
가족들은 형이 연금술을 발명했거나
약속의 땅이라도 발견한 줄 알고
형의 눈치를 보았다.

그 여자가 죽고 난 뒤
오직 불행해서 기뻐요, 로 살아가며
둥우리에서 떨어진 새 새끼처럼 바들바들 떠는
형은 남에게 해를 끼쳐본 적 없는 새였다.
미치광이 새였다.

아버지가 여자는 사치품이야, 라고 말하면
형은 머릿속에 관광객이라도 찾아온 듯이
갑자기 환해져서는
〈불행해서 기뻐요〉를 불러댔다.

약속의 땅이라도 발견했는지
어느 날 갑자기 사라졌다가

아버지가 죽었을 때
장의사가 되어 나타난

형은
곡두의 새처럼
〈불행해서 기뻐요〉를 정말
기쁜 듯이 뽑아댔다.

플라타너스

오늘은 예이츠가 죽은 날
그날처럼
눈 내리고 춥다.

바람이 어둠과 범벅이 되어
헛소문을 퍼뜨리고 다니는
거리에서
떨고 있는
나의 누이, 플라타너스여

아직 나는
유년의 대륙을 찾지 못해
고독을 어깨에 짊어지고
증오를 직업으로 삼은 채 갈 곳을 찾지 못하고 있다.

왜 이렇게
그리움은 쉽게 마모되고
희망은 마약인가.

가진 자들이 사이코패스가 되어 눈을 부라리는
엄혹한 세상에서
나는 저주받은 시나 쓴다.

나의 누이, 플라타너스여,
내 유년의 대륙으로 가고 싶다.
그곳에 가서
쓸모없는 나무가 되고 싶다.

오늘은 예이츠가 죽은 날
불평 많은 나의 시를 데리고
이니스프리로 가고 싶다.

침묵

너의 어깨 너머에는 나의 과거가 있어. 후회
와 거래한 나의 과거가, 미소의 카탈로그를
나열하고 있어. 나의 철사 같은 웃음 속에
묻은 침묵의 페이지를, 네가 읽지 못하도록,
나는, 푸른 권태와 노란 권태 사이, 비무장
지대에서 얼굴을 꺼버리려 하지만, 증오의
손이 침묵의 페이지 밖으로, 뛰쳐나오는 걸,
보는 이가 있어. 나의 손에는, 외로움이 진
열되어 있거든. 나의 질병인 불안이, 잠든
너의 어깨 너머, 어스름의 이끼 가득한 너의
어깨 너머, 비무장지대에서는, 노랑 도깨비
파랑 도깨비, 자본주의가 망하기 전에는, 절
대로 서정시를 쓰지 않겠다는, 너의 시가 울
고 있어. 후회와 거래를 하고 있어. 손수건이
품위를 잃을 것만 같아. 나의 기도를 묻은,
너의 어깨 너머에서, 젖은 시간이 흘러내려.

목련

세밑이었어요. 두보는 今夕行. 집으로 가
는 길은 멀게만 느껴졌어요. 종묘 앞을 지
나가고 있었어요. 자고 가요! 할머니였어
요. 어둠이 휩쓸고 있는 거리는 몽상으로
얼룩졌어요. 자고 가요! 나는 뒤를 돌아보
지 말라는 신의 말씀 때문에 종종걸음을
치며 안절부절 못했어요. 불량배들의 놀
이터인 서울에서는 길을 잃어야 제대로
산다고 했던가요. 今夕行! 세상의 표지는
너무 우울했어요. 불행한 사람이 세상을
구한다고 했던가요. 자고 가요! 신의 말씀
을 어기고 뒤돌아보니 저 멀리 목련의 눈
이 흔들리고 있었어요. *라 캄파넬라!*

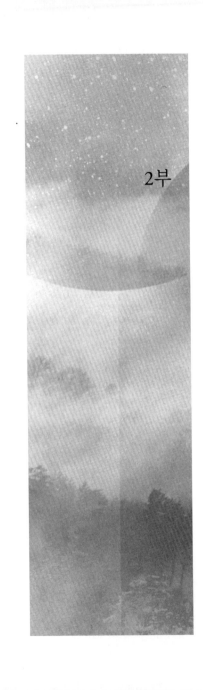

2부

내가 출근할 곳은 어디인가

왜 그렇게 결근이 잦느냐고 나무라는 사장에게 항변한다. 나는 매일 출근하여 착실하게 손도장을 찍고 있습니다. 내 부러진 손톱자국이 칸칸에 박혀 있는 것을 보지 못하셨나요. 컥컥거리는 내 흔적들이 사무실에서 쪼그리고 있는 게 보이지 않으시나요. 당신의 지구본은 낡았다. 날마다 새로운 나라가 세워지고 전쟁으로 없어지기도 하는 것을 모르는가. 어느 정치가가 아직도 전쟁을 일으키고 있어 사무실이 섬처럼 떠다니나요. 수많은 전쟁으로 바늘 꽂을 곳조차 없는 대륙에서 사무실이 한 자리에 머무를 수 있을 것 같은가. 당신의 지구본은 20세기의 유물이다. 사무실이 한없이 움직이는데 당신은 어디로 출근하고 있단 말인가.

아내는 늘 돈이 모자라다

아내는 나를 조금씩 바꾼다. 쇼핑몰을 다녀올 때마다
처음에는 장갑이나 양말을 사오더니
양복을 사오고 가발을 사오고
이제는 내 팔과 다리까지도 사온다. 그때마다
내 몸에 어울리지 않는다고 투덜거리지만 아내는 막
무가내다.
　당신, 이렇게 케케묵게 살 거예요, 하면
　젊은 아내에게 기가 죽어서 아무 말도 하지 못하고
만다.
　얼마 전에는 술을 많이 마셔 눈이 흐릿하다고 했더니
　쇼핑몰에 다녀온 아내가 눈을 바꿔 끼라고 한다.
　까무러치게 놀라며 어떻게 눈까지 바꾸려고 하느냐,
그렇지 않아도 걸음걸이가 이상하다고 수군거린다고
해도
　그건 그 사람들이 구식이라 그래요, 한다.
　내 심장이나 성기까지도 바꾸고 싶어 하는
　아내는 늘 돈이 모자라서 쩔쩔맨다.
　열심히 운동을 하여 아직 젊다고 해도

아내는 나를 비웃으며 나무란다.

옆집 남자는 새 신랑이 되었어요. 당신은 나를 위해서
그것도 못 참아요, 한다.

시무룩해진 아내가 안쓰러워 그냥 넘어가곤 하는데

아침 일찍 아내보다 먼저 일어나

거울 속에서 내 자신이었을 흔적을 찾느라

얼굴을 아무리 뜯어보아도 내 모습이 없으니

밖에 나가면 검문에 걸릴까 두려워 일찍 귀가하곤 한다.

슈퍼보이

저녁거리를 사러 쇼핑센터에 간 아내가 아이를 데려
왔다.
깡통 같은 아이는 우유는 먹지 않고
무엇이나 들고 전쟁놀이를 해서
집안 구석구석 흠터 진 곳마다 눈물자국이 선연하다.
아이는 나에게 한 번도 아버지라고 부른 적이 없어서
내가 아이의 아버지인지
아니면 심부름꾼인지 분간하기 힘들 때가 많다.
아이가 잠들어 있을 때
무서워서 살 수가 없으니 아이를 다시 데려다 주라고
해도
아내는 막무가내다.
얼마나 귀여운데 그래요. 당신이 아이에게 맞출 줄 몰
라서 그래요. 내가 아이를 낳지 못한다고 핀잔주려고 그
러는 거죠.
아내는 울기 시작한다.
이때부터 나는 안절부절못한다.
정말 나는 아이의 비위를 맞출 수가 없다.

나는 패잔병처럼 아이의 뒤를 따라다니며
재건축에 여념이 없으나
아이는 쉽사리 전쟁놀이를 그만 두지 않는다.
아내의 역성이 있고 난 뒤부터
아이는 아내의 침대에서조차 나를 몰아내고 말았다.
내가 아내의 품으로 들어가려고 하면
아이는 질색을 하고 전쟁을 일으키니
아내를 안고 자 본 지가 언제인지도 모르겠다.
빈 방에서 홀로 아이가 온 곳을 생각하며
아이의 별을 찾아보려 하지만
쇼핑센터밖에 떠오르지 않아
아이를 되돌려 보낼 수가 없다.

거짓말을 하고 있는 자는 누구인가

여덟 시 오 분이 막 지나고 있을 때 나는 문을 열었고 집 건너편 미용실에서 나온 여자가 집을 나간 개를 부르고 있었다.

개가 찍은 발자국을 세며 키득거리고 있는 플라타너스 앞을 지나가던 야쿠르트 아줌마가 한 블록 건너 철로 위를 여덟 시 오 분에 지나갔다고 말해주는데
모퉁이 세탁소 남자가 야쿠르트 아줌마의 말을 제지하며 여덟 시 오 분에 세탁소 앞을 막 지나갔다고 한다.

여덟 시 오 분이 막 지나고 있을 때 나는 커피숍 앞을 지나가는 개를 보았다. 개는 배에 하얀 무늬가 퍼져 있는 서양 잡종이었다.
나는 문을 열고 나와서 미용실 여자가 개를 찾는 소리를 듣고 건너편에 대고서 개의 행방에 대해 말해 주려고 하는데
플라타너스가 있는 빵집에서 나온 미스 김이 개가 여덟 시 오 분에 자기네 빵집 앞을 지나갔다고 한다.

여덟 시 오 분이 막 지나고 있을 때 문이 열리는 소리와 함께 미용실에서 나온 여자의 목소리를 들었다. 개의 이름은 디디였다.

급한 목소리로 크게 부르는데도 커피숍 앞을 지나가고 있던 개는 벽 위를 걷는 그림자와 함께 건너편 주인을 돌아보지도 않았다.

야쿠르트 아주머니와 세탁소 아저씨, 빵집 미스 김이 들었던 목소리를 나는 들었다.

미용실에서 나온 여자의 디디 부르는 소리는 아직 이어지고 개는 여덟시 오 분 속을 걷고 있다.

개의 시간 속으로 막 기차가 지나간다. 키 큰 플라타너스가 몸서리를 친다.

우표수집

우표수집에 열을 올렸다. 우체부 아저씨는 안드로메
다 우표를 나에게 약속했지만
날마다 빙그레 미소만 지을 뿐이었다.

동네는 경보음으로 가득했다. 아버지는 시장바닥에서
술을 마시면서
돈도 되지 않는 거짓말을 모아 집에 들였다.
아버지의 거짓말로 집안은 늘 어수선하여
어머니는 청소하느라 허리가 휘었다.
가끔 어머니의 빗자루 끝에서 별들이 술렁거리기도
했다. 그때
어머니는 후라이팬에 거짓말을 튀겼다.

비가 유골을 드러내며 마을을 휘저었다. 그런 날이면
빗속에서 안드로메다를 본 듯도 해서 우체부 아저씨
를 기다리는 내내
먼 우주의 바다로 보낼 내 생을 보자기에 싸느라 골몰
했는데

우체부 아저씨는 동화 속의 사슴처럼 불쑥 나타나서는
나비 우표를 붙이면 될 거야, 하고는 혜성처럼 고리를
달고 사라졌다.

나는 아저씨의 꼬리를 놓치지 않으려고
우표 책을 한 장 한 장 넘기며 터키와 인도, 그리고 이
집트 우표 속에서
안드로메다로 가는 길을 찾았다.

아버지의 거짓말이 별 과자가 되는 날
우표 책 속으로 들어가면
먼 우주에서 무수한 별들을 돌아 내게로 오는 종소리가
비의 유골에 부딪혀 챙그랑거렸다.

K
– 프란츠 카프카에게 바침

K를 떠나지 못하고 있다. K에서 이제 가족이라고는 물고기 한 마리밖에 없다. 새가 되고 싶어 하는 물고기

K에 불시착한 뒤 물고기는 바다 꿈에 사로잡혀 있다.

물고기를 위하여 K를 떠나야 한다. K는 지문의 끝, 부서진 난간에 걸린 해처럼 지도에 없는 도시다.

완벽한 보완의 도시, 도서관과 인터넷으로 무장한 K에서 내 물고기는 새를 꿈꾸는 것조차 들키고 만다.

물고기를 위하여 K를 떠나야 한다. 도시의 심전도를 읽을 수 있는 도서관의 비밀스런 문서를 빼낼 기회만을 엿보며

시그마 빌딩에서 잔고 바닥난 신용카드처럼 깊이 숨어 있다가 창문을 통해 종이비행기를 날린다.

물고기의 꿈을 가득 실은 채

산돼지처럼 어디에서도 안주하지 못하며 내 그림자들이 꾸미고 있는 속임수를 따라

물고기를 닮은 눈동자를 빛내면

바다를 가장한 스타벅스에서 사이렌이 울린다. 무균처리 된 도시를 벗어나기는 힘들 것 같고

물고기에게 바다 냄새라도 맡게 하려고 도서관 깊은 창가에 서면 창밖에 목매달고 있는 무수한 편지들

저 멀리 십자가를 주렁주렁 단 교회들이 엉금엉금 걸어오고, 소독내 퍼진 하늘이 파랗게 질린다.

K는 우주의 어느 은하를 떠돌고 있는가. 지금 내리고 싶다.

사격클럽 안내책자 한 귀퉁이에서
안락사 한 물고기

낯선 남자의 아이를 낙태한 후
동네 건달들이 수없이 건드려도 아이를 갖지 못한
누이는 물고기를 키웠다.

남태평양 어디쯤에서 왔다는 이름도 모르는 물고기를
키우는 누이
먹이를 줄 때마다 귀향을 약속하며 짚배를 띄웠다.
지푸라기와 헝겊과 연필로 만든 작은 배

어머니가 키우는 고양이만 보면 언젠가 죽여 버리겠
다고 장담하면서
킬러가 되고 싶어
사격클럽에 응모하지만 한 번도 연락을 받은 적이 없어
우울증에 시달리는 누이
제 안에 바다가 있어 늘 썩은 생선 내가 나는 누이
바다를 베고 자기도 하고 토막 낸 물고기에게 먹이기
도 하고

고요한 물고기의 시간에 배를 띄우면서 애기 울음소
리를 내 고양이를 죽일 기회만 엿보다가

　　놀이공원에서조차 총을 쏴 본 적도 없고 심지어는 만
져본 적도 없으면서 탕, 탕, 탕
　　실눈을 뜨고서
　　손가락 총을 쏘는
　　누이는 남태평양으로 여행을 떠날 수 있을까.

샤도우 문

배우 옥소리가 간통으로 고소를 당했다. 나는 도쿄로 도망쳐야 한다.

이웃집 형은 직장을 잃고 개 사냥꾼으로 나섰고 친구 동생은 서른 살이 넘었는데도 장난감이나 들고 다니며 공원에서 하루를 보낸다.

우리 동네 풍경은 더 이상 숨 쉴 곳이 없어 새들도 아침이면 와서 울지 않는다. 나는 도쿄로 도망 갈 날짜만을 달력에다 바꿔 단다.

오늘은 선배를 따라 한강으로 가야겠다. 선배는 또 다른 세상을 찾을 수 있을 것 같다며 눈이 휘둥그레질 돌을 발에 묶고 강바닥으로 내려가겠지. 선배가 나를 쳐다보면 나는 곧 도쿄로 가야 한다고 변명하리라.

아침이면
해는 샛노랗게 떠오르고 담쟁이가 우울한 밤을 풀어

헤치기라도 하려는 듯 담장에서 고개를 살랑거리지만 개를 한 마리도 잡지 못한 형이 정육점으로 기름 덩어리를 얻으러 가는 발소리, 친구 동생이 골목에서 장난감을 굴리는 소리가 하루를 두드린다.

나이가 들었는데도 앳된 옥소리는 카랑카랑하다. 나는 다음 주에는 꼭 도쿄로 도망치리라 다짐하면서 선배가 돌멩이를 발에 묶고 강바닥으로 내려가서 올라올 수 있을지 아니면 새로운 세상을 찾을지 궁금해서 창문을 소리 나게 연다.

하늘은 금세라도 무슨 말을 뱉을 것만 같다.

정원

달이 둠벙에 돌을 던지러 간 사이 나는 거짓말을 정원
에 묻는다.

너는 왜 아무리 먹어도 살이 찌지 않니, 어머니들은
고개를 갸우뚱했다. 나는 거짓말을 감추고 있어서 그래
요, 하려다가 표정을 버렸다.

어머니 몰래 수음을 할 때처럼 정원에 거짓말을 묻는
일은 참, 아슬아슬하다.
꽃나무 아래 수음을 닮은 거짓말을 묻고 아침에 일어
나 보면 잡초들이 무성하게 거짓말 위에 자라 있다.

어머니가 아버지를 욕하면서도 아버지의 성기를 받아
들인 다음 날 아침
나는 밥상머리에서 어머니 표정을 몰래 훔쳐보며 내
거짓말의 흔적이 얼마나 소리치지 않고 있을 수 있을까
를 생각한다.

나는 거짓말을 정원에 묻는다.

어머니의 표정을 닮은 거짓말은 정원에서 잡초처럼 저 홀로 자랐고

나는 더 이상 살이 찌지 않았다.

어머니들은 너는 커서 뭐가 될래, 키득거렸다. 그런 날 밤

달은 내 거짓말을 퍼뜨리느라 둠벙에서 첨벙거리고

매미가 울거나 낯선 벌레들의 울음소리가 정원에서 들릴 때면 가슴을 졸인다.

날이 흐리다. 내 거짓말이 더 이상 들키지 않아도 되리라.

나는 정원을 쳐다보지도 않지만

나이를 먹어도 살이 찌지 않아

어머니들은 내가 결혼해서 아이를 낳을 수 있을까 걱정했다.

둠벙에서는 달이 나의 거짓말을 퍼내고

녹아웃마우스

나는 박사의 마스크 안에서 무사하다.

박사는 무균처린 된 나의 뇌를 주물럭거린다. 한 마디의 말도 뱉지 못하게 하려는 심산이다.

나는 박사를 속이려 해 보지만 박사는 절대 속는 법이 없다. 내 언어의 신경이 끊어졌다 이어졌다 한다.

나는 날마다 알약 같이 둥근 세상 속에서 뒹군다. 박사가 처방한 세상은 쓰지도 달지도 않는 무균의 시간이다.

나는 맵시 있게 동그란 허공을 헤매다가 잠이 들곤 한다. 박사는 그런 나를 보며 안심한다.

박사는 나를 자신의 마스크 안에서 돌본다. 박사가 계획한 우주 안에서 한 번도 폭발한 적 없이 나는 박사를 위해서 잘 지낸다.

박사는 나에게 하고 싶은 말을 논문 속에 감춰 버린다. 박사의 논문은 마스크 밖에서만 읽힌다. 나는 논문의 제목조차 알지 못해 두통이 떠나지 않는다.

박사에게 가르쳐 달라고 투정을 하면 약에 먼저 적응

하라고 하지만

　약을 먹을 때마다 까무러치고 까무러치니 내 자신이
늘 부끄럽기만 하다.

풍경, 아카이브

아버지와 결혼한 걸 후회한 어머니가

마늘밭에서 아버지를 하나씩 뽑고 있을 때

어머니를 하와이 해변으로 옮긴다. 포토샵으로

비키니를 입히고 선글라스도 끼워준다. 물거품을 따라

해변이 파랗게 펄럭인다.

매운 해변에서 어머니는 콜록거린다. 오! 불쌍한 어머니

마늘 냄새를 지운 술잔에 데킬라를 붓는다. 재즈에 맞춘 어머니

어지럼증에 시달린 젊은 아버지를 클릭해 온다.

색다른 아버지, 혹은 빌려 온 어머니

피식, 해변에 웃음집이 생긴다.

어머니, 모조 아버지의 팔짱을 끼고 집으로 들어간다.

아버지였던 아버지를 통 잊어버린 채

거울 밖에서 나는

어머니였을 어머니를 암만 찾으려 해도 적절한 색을 찾을 수 없으니

계절을 바꿔 보기도 하고 해변을 바꿔 보기도 하지만
낯선 풍경 위로 마늘 냄새가 기우뚱거리며 번질 뿐

종착역

한 꽃송이가 있습니다.
한 꽃송이는 추운 대합실에서 오들오들 떨고 있습니다.
한 꽃송이만이 오지 않는
다른 꽃송이를 기다리고 있습니다.
모두들 어디론가 떠나버린 대합실에서
한 꽃송이만이 제 몸으로 불을 피우며 기다립니다.
기차가 몇 번 들어왔지만
한 꽃송이는
아직도 기다리고 있습니다.
내내 기다리고 있습니다.
이윽고
막차가 들어옵니다.
우산처럼 안내방송이 펼쳐지고
외국어로 칙칙 이던 기차가 잠들 때까지도
한 꽃송이는
밤새 불을 끄지 못하고 있습니다.

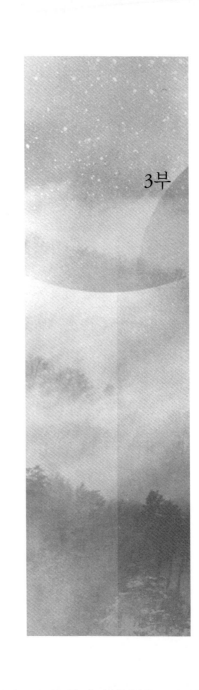

3부

어쩌다 봄

어쩌다 보미
창밖에서 수제비 뜬다.
개구리가 운다.
오늘은
딸기맛 생크림 말랑말랑한 쉬폰
둥시런 태엽인형이 쏟아내는
공기를 빨아들인 단문들
칼라렌즈 소녀가 빨래방에서 만난 얼룩말 이야기가
번진다.
초코로 물든 손가락, 바닐라 맛 입술
누군가 '요즘 애들은' 이라고 해도 수제비, 수제비 뜨
는 눈에서
개구리가 운다.
딸기에 물든 생크림
어쩌다 봄이
입 안 가득
딸기 딸기 한다.

언덕에 올라
― 척호陟岵;『시경詩經』위풍魏風으로

불빛이 멀리 비척거린다.

나뭇가지에 걸린 딱따구리가 철컥, 철컥, 점호를 하고

발아래 풍경이 가뭇없이 무너진다.

귀가 웅웅, 내일은 어디로 가야 하나.

(너무 멀리 와 버린 건가.)

약을 끊지 말았어야 했다. 쥐라도 키우든지

나뭇가지에 매달린 비닐봉지가 운다.

옥련암의 댓잎은 아직 푸르겠지.

와락, 안개가 얼굴을 묻어버린다.

낮에 주운 스마트폰을 껐다 켰다 유심을 뺐다 껐다 그래도 날아든 문자를 지우느라 밤을 새웠지만 떠도는 말까지 어쩌지는 못했다

고개를 살짝만 돌려도 침으로 범벅이 된 말들이 입술에서 간당간당, 강박증에 걸려 쟁강거리고

카펫위앙칼진검은고양이는디비진눈동자,쿠르릉캉,문법적실수로어슷한미소가풍경을얼버무린다.

시퍼런 공기 속 유리로 된 새가 날고 허공으로 녹아드는 종이비행기가 좌표를 잃고 우웅 떤다.

허언증에 시달리면 직육면체의 꿈을 꾸지. 비행을 꿈꾸는 크리넥스가 중얼중얼 침대를 들썩여 불면의 밤을 건너지.

헤비메탈을입은소년이엄마를구기면서말인즉슨인즉슨괜찮은거지괜찮아괜찮지뭐괜찮을까해보지.

창을 깨고 날아든 새 한 마리 드르륵, 아침을 연다. 금세 책장 위 침묵이 엎질러지고

심야버스
−J에게

나도 집으로 돌아가고 싶어. 절대 드립 치는 게 아냐. 나는 엄마의 적이 되고 싶지 않아. 한 번만 날 믿어 봐. 나는 지금 내 행성을 찾고 있어. 엄마가 사는 지구는 내게 맞지 않아. 거기서 나는 덤이야. 한 통속인 어른들 사이에서 나는 절름발이라고. 나는 지구에 머물러 있지 않을 거야. 나에게는 내 길이 있어. 대학 같은 건 가지 않을 거야. 대학은 나를 닭고기로 만들어 버린다고.

물고기 한 마리 하늘을 나네.

엄마, 샤이니 종현이 오늘 죽었어, 그의 목소리가 나를 꽉 채웠는데, 어두운 갈색 목소리가 먼 행성으로 떠나고 있어. 나는 날마다 심야버스를 타고 엄마 집으로 가는 꿈을 꿔. 편의점에서 라면을 먹을 때마다 엄마 얼굴이 국물에 비쳐. 난 엄마의 적이 되고 싶지 않아.

중력을 이겨내는 버스가 있네.

내 행성에서 문자를 보낼게. 내 생각이 나면 하늘을 올려다 봐. 머리 위에 흐릿하게 반짝이는 작은 별이 보일 거야. 엄마 한번만이라도 날 믿어 봐. 라일락 피는 계절이 오면 내 목소리를 붙잡을 수 있을 거야.

삼천포

너는 비스듬히, 갸웃한 이라는 말 속을 떠도는 비긋이, 혹은 유년의 꿈처럼 비릿한, 가끔 밤으로 기우는 말들이 모여 있듯, 어슷히

나는 아무것도 이루지 못할 것이다.

너는 삼천포에 갔다, '아득하면 되리라'를 생각하며, 아득하도록 비스듬히, 바다를 내려다보는데

비긋이 날아가는 구름의 손가락들, 비물질적으로 녹아내리는 바람의 등고선을 따라, 뭉그러지는 너의 독백들, 낭떠러지의 목소리, 뿌리 내리지 못한 너의 이름들이 비인칭으로

구깃구깃, 그리고 까마득히

비누 씨가 바나나하다

거리를 떠돌았지△인형처럼~디제이의 멋진
목소리에 들앉아~봉숭아는 빼빼 말라가고~
먹다 남은 케이크는 눈에서 치워버리지&서부
사내들이 측간을 들락거리지▽두 조끼면 어
때 맥주 한 잔 사~생각이 앞서가 토사물 위
에 미끄러지지&날마다 크리스마스 하는 화가
가 있지&생각의 끄트머리에서 짖는 개가 있
지△낯선 시간들이 철커덕거려~인생은 한번
뿐이라는 건 거짓말이야~종양이 투덜투덜&
언뜻, 모세의 지팡이가 지나간다▽아돌프 같
기도&처키 같기도~아침에는 정의가 없다

전화 안 받네

B급 영화 속
강물소리를 내며 흐르는 밤은 메아리의 시체로 검붉어.

잘라도 잘라내도 거짓말하는 손을 가진
사진첩에서 방금 나온 사람이고 싶어.

패스트푸드 기름 냄새가 코를 찌르네.
미국 냄새가 떠다니나 봐.
저만치 트럼프 빌딩이 키를 키우고

나는 일회용 배우
검은 상복을 입고 경찰관을 속이는 역할이 딱이지.

거울놀이를 즐기는 아버지가 있지.
여자의 슬픔을 냄새 맡고
절망은 비누로 씻어내지.

뒤를 돌아보지 말아야 해.

입구와 출구가 같은 미로는 어디에나 있으니까.
나는 별처럼 고집스럽지 않을 거야.

스피노자는 렌즈공이었다지.
자주 무언증에 걸렸다지.

나에게는 비밀을 누설하는 손가락이 있어.
저물녘 지붕에서 그림자놀이를 하는 고양이를 닮았지.

나는 높은음자리표
우리 집의 주석이고 주해야.

나에겐 회귀를 꿈꾸는 은밀한 욕망이 있어.
마른 못에서 물고기를 낚는 상상을 하고
홋꽃에 가부좌로 앉은 나비가 되고 싶기도 해.

오늘 밤 움푹 팬 달에다 외꽃을 싶어야지.

몹

쨍, 날카로운 햇빛의 일요일
나는 사건이 된다.
즉흥연주 같은, 끄나풀 같은, 수배자 같은

일그러진 빗방울을 주렁주렁 달고 오빠가 온다, 날 알
아볼까.

내일과 내 일에서
헤적이는 네일을 매단 봄바람이 출렁인다.

아무에게도 말하지 말고 그때 만나던 곳으로 와.

나는 사건이다.
압생트 같은, 할러데이 같은

욱, 하고
달나라로 날아간 나비 같은

베트남 소녀의 노래 같은, 공중화장실 계단에서 기다
리는 모자 같은

그,
골목

툭, 소리를 내며
마지막 비행을 꿈꾸는 나뭇잎 같은

밤의 카페
– 자끄 프레베르를 따라

밤인데
외로우시다고요
그러면 시를 쓰세요
먼저 비를 내리게 하세요
그리고 비의 목소리를 들여다보세요
집에 소주가 있다면
그 술을 고흐라고 부르고
한쪽 귀만 있는 술잔에 따르세요
그때 누군가 문을 두드린다고 생각하세요
두려움이어도 좋고 후회도 좋아요
고흐가 성난 눈초리를 하고서
순결한 사람들의 이름을 불러댈 거예요
그러면 심장에서
무덤을 파는 소리가 들릴 거예요
그 순간
심장을 베끼세요
빗소리를 후렴으로 넣어도 좋아요
두려움과 불안을 중간 중간에 삽입해도 괜찮아요

뚝 끊어지면
술잔의 한쪽 귀를 잡고
고흐의 밤을 들이키세요
심장을 두드리는 소리가 점점 크게 들릴 거예요
거기에 음악을
빗소리와 문 두드리는 소리를 섞어서
침묵의 목소리를 느끼세요
시가 당신을 읽을 거예요

사람

네 발 달 린 침 대 네 발 달 린 의
자 달 린 다 초 원 을 향 해 비 는
내 릴 것 이 다 태 양 너 머 네 발
달 린 기 린 을 따 라 네 발 달 린
악 어 가 뛰 어 가 고 네 발 달 린
자 동 차 가 달 리 는 데 바 보 마
냥 두 발 만 달 고 겅 중 거 리 며
뛰 는 장 대 처 럼 절 름 거 리 는
길 쭉 한 허 우 대 하 나 네 발 이
었 다 가 두 발 이 었 다 가 가 끔
은 세 발 이 기 도 한 약 골 하 나
저 멀 리 네 발 달 린 것 들 을 쫓
는 듯 쫓 기 는 듯 두 발 이 었 다
가 세 발 이 었 다 가 오 귀 여 운
앞 발 을 잃 어 버 리 고 겅 중 겅
중 쫓 는 듯 쫓 긴 다

쪽

'가만히'라는 말에는 모서리가 없다. 저녁놀이 창문을 흘끔 들여다보는 듯, 물의 얼굴을 닮은 석래 삼촌의 웃음 같은

차마 말을 뱉지 못하고 입 안에서 몽글어지는 어머니, 음악의 긴 손가락이 몸을 휘젓는 것 같이, 창자가 구시렁거리는 듯, 어둠이 쏟아진다.

날개도 없이 하얀 종이 위 멀뚱하게 뜨는, 가만한 목소리, 어둠보다 부드러운 꽃다발의 침묵, 마음고름이 발자국을 죽인다.

'가만히'라는 말에서는 강물 냄새가 난다, 얇은 책장을 찢어 날리면 물새들의 책 읽는 소리가 들린다.

내 꿈이 정박해 있던 그 강가, '가만히'라는 말을 입 속에서 궁굴리면 샛바람이 양철 냄새를 풍기며 먼산주름을 지나 지구 밖으로 굴러간다.

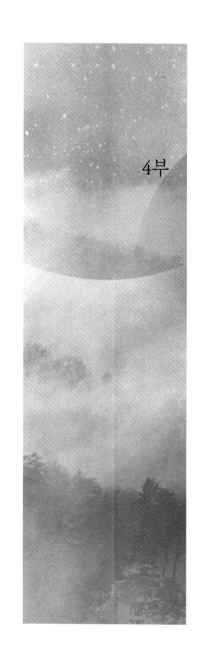

4부

하얀 페인트로 남은 사내

오목교에서 안양으로 가는 7번 도로
지방도와 국도가 지나가는 교차로에서
하얀 페인트 자국으로 남은 사내
한 조각 핏기도 없이
초고속 신형 세단 앞에서도 마냥 누워 있기만 한 사내
어둠 속에서 더 선명하게
깊이 잠든 사내
하얀 페인트로
세상의 속도를 먹어치우며
도로 한가운데 누워
표정도 감추고 있다.
한밤이면
속도는 더욱 깊어지고
사내는 도로 안에서 창백해질 대로 창백해진다.
트럭과 택시와 오토바이, 그리고 21세기의 모든 속도
속에서
사내는 한 점 핏방울마저 잃는다.
핼쑥한 사내를 위해

간밤 공장 숲에서 튀어나온 오소리 한 마리
차들이 잠깐 뜸한 틈을 타 어슬렁거리다가
사내의 냄새를 맡고
빨간 피를 부어주고 저만치 껍질만 남겼다.
사내는
오소리 한 마리의 피로는 어림없이 창백해
밤이면 멧돼지며 노루, 그리고 쥐들까지 피를 뿌려
주니
표지판을 붙일 수밖에
백색 귀신 출몰 지역
표지판이 세워진 후
철새 한 마리 사내를 북쪽으로 물고 갔다.

가벼움에 대하여

이른 아침, 한없이 순환하는 지하철을 탄다. 꿈
들은 모두 나의 반대편에 앉는다. 나는 기우뚱하
는 차를 견딘다. 속도가 빨라질수록 지하철은 한
쪽으로만 달린다. 좌석에 앉아 견디기에는 나는
너무 가볍다. 머리가 빈다. 가슴이 울렁거려 일
어설 수가 없다. 뱃속에서 허한 것들이 목을 타고
올라오려는 찰나, 참을 수 없이 가벼워져 몸이 공
중으로 뜬다. 겨우 손잡이를 잡고 견디면서 이렇
게 부당한 천칭에서 내릴 수 있을까 걱정한다.

노숙일기

가난한 밤은 길다.
수녀들이 지나가고
목사들이 지나가고
골판지 박스가 오고
신문지들이 따라오고
차곡차곡 쌓인 하루 위에 몸을 누이면
잠 속으로 발자국이 찍히고
아직 밥을 먹지 못한 영혼이 휘파람 소리를 키우면
소주병들이 여기저기 흩어지며
욕설을 폭죽처럼 터뜨린다.
밤은 저 홀로 깊어가고
잠들지 못한 이들의 신발은
발레를 하듯 꺾이고 꺾인다. 눈을 감아도
잠은 달아나고 알전구만 충혈되어
숫자를 세다가 그치고 그치는
밤은 정말, 천천히 걷는다.
파도 소리를 키운 잠 속
다리를 모아 지느러미를 일렁인다.

방귀처럼 터지는 한밤
지나가는 행인들의 발자국에서
가시가 돋는다.
잘라온 옛 꿈속에 숨어도
아침은 영영 오지 않을 듯이

유마힐 문병기

밤의 깊이를 재기 위해 어둠 속
에 내시경을 넣는다. 깊이 박힌
눈이 잠들지 못하고 있다. 변종
의 눈이다. 수면제 루미날을 떨
어뜨린다. 내성이 생긴 눈은 감
았다 뜨고 감았다 뜨면서 퍼즐
처럼 쌓인다. 눈은 눈을 낳아,
어둠 여기저기에 박힌다. 파편
의 어둠 속에 또 한 알의 루미날
을 떨어뜨린다. 누더기가 된 눈
이 죽어가며 또 다른 눈을 낳는
다. 그러다가 새벽이 할, 할, 할,
죽통을 치면 결백을 가장한 눈
이 어둠을 헤친다. 천근만근 쇳
덩이 하나 공중으로 솟는다.

당나귀

나날이 귀가 자란다.
귀가 자랄수록 거리에서 들었던
자음들은 모음을 만나기도 전에
안으로 들어와 내 몸 속을 떠돈다.
시끄러운 소리들에
풍경조차 모자를 눌러쓴다.
귓속에 든 소리들이 쥐를 낳는다.
쥐는 지푸라기를 모으고
지푸라기는 길을 낸다.
커지는 귀를 움켜쥐려
모자를 깊이 눌러쓴다.
넓은 대로도 귀 안에 갇힌다.
쥐똥과 지푸라기들로 난장판이 된
귀에서 낯선 세상은 자꾸 태어나고
수다는 길게 이어진다.

팝콘

족제비가 내 성기를 만져, 엄마!

뭐라구, 이년아! 나 바빠. 빨래하고 있는 거 몰라.

수잔, 나 돌아왔어요. 한 번만 용서해줘요.

저년이 또 복화술로 말하네. 쫓아가면 죽는다.

수잔, 용서해줘요. 그대를 한 번도 잊은 적 없소.

저놈의 가시내가 복화술 하지 말랬잖아. 니 애비같이 연극이나 할 거야. 쫓겨나고 싶어.

내가 말한 거 아니란 말야. 티브이에서 칼이 하는 말이야. 엄마, 족제비가 내 성기를 만진다고.

가스 불 낮춰라.

엄마, 족제비 좀 어떻게 해봐.

시끄러워, 이년아! 가스 불 낮췄냐.

돌아가세요, 칼! 한때는 당신을 원망하면서 보낸 세월이 얼만지 아세요. 이제는 더 이상 당신을 원망하지도 않아요.

너, 복화술 하지 말랬지. 왜 자꾸 니 애비 흉내를 내고 있어, 엉. 니 애비처럼 평생 살래. 삼류 연극쟁이도 못 된 인간……

내가 아니라고. 족제비 좀 어떻게 해줘.

수잔, 수잔, 수잔!

엄마!

칼, 다시는 오지 마세요.

성난, 수잔 아닌 엄마가 세탁실에서 나온다.

독자여, 여기에서 정지된 화면의 미장센을 만들고 시
퀀스를 짜 보라.

'사랑이 식기 시작하면 충돌이 시작된다, 메리츠 증권.'

모자이크 방

내 안에는 방 하나가 있다. 소설책 한 권도 들어가기 힘든 작은 방 하나가 있다. 그 방에 한 여자를 재운다. 여자는 방이 너무 좁다며 투정이다. 내 자리마저 내주고 겨우 창문에 매달리면 여자는 또 다른 방을 새끼 친다. 한 방이 두 방이 되고 두 방이 네 방이 된다. 여자가 낳은 방들에 나는 기침 몇 마디씩을 뱉어놓는다. 기적이 없다. 날이 새면 무정란의 방은 주인을 찾지 못한 채 흉터로 남아 있다. 낮 동안 내내, 잠들어 있는 여자를 깨워보지만 생활이 없는 여자가 깨어날 리 없다. 아무리 힘껏, 하루를 소모해 보아도 빈 방은 채워지지 않고

비눗방울

사흘은빵집이요닷새는다리께낚시터다저
녁물에는어처구니를만나아삭소리를낼것
이다망설임은보험문체다멀뚱히서있다가
언덕에서굴러떨어져턱이깨진표정이다내
내평화를잃은사내가안절도부절도못한다
저만큼한소녀가앗과엇사이에서발을동동
구른다계절의경계에철조망이쳐지고깨진
목소리에서는그냥이쉬를한다오늘은그믐
과초승의사잇길어둑신한풍경속으로구깃
구깃종이가날아올라앵무앵무들볶아친다
머쓱허공이몇가닥의극사실로헝클어진다

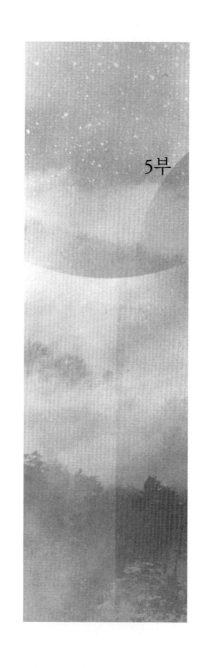

5부

손현주가 나오는 영화는 다 본다

손현주는 부사다, 몸의 명랑, 속으로 빠져들어, 으흥, 식물성으로 히죽거리다가 '똥이 탄다, 스벌놈아!' 바슬바슬한 말에 홀리다가 안방에서 정글로 널뛰는 손현주는 야생동물이다.

잔웃음을 피식, 비릿해진 머릿속이 깜깜한 밤 속을 거닐고 있을 때, 전화기 속으로 알약을 삼키는 소리를 듣고는 울컥 울컥, '이런 법이 없어!' 허벌나게 깊이 담배의 본능을 빨아들이느라 눈과 입이 따로 노는 손현주는 너무 덥다.

가끔은 으스대기도, 혹은 어긋나게 나가다가 미래를 향해 질주할수록 과거 속으로 쫓겨, '나를 더 괴롭히고 싶다!' 뾰족한 한 수를 내뱉는, 손현주는 엉큼 쌉싸름한 동사다.

칼의 기원

배가 아파 병원에서 진찰을 받는다. 의사는 청진기를 대어 보더니 칼이 들었단다. 청진기로 칼이 들었는지 어떻게 아느냐고 물으니 의사는 당신의 뱃속에 들어 있는 칼에서 소리가 난단다. 그럼 칼이 뱃속을 도려내는 소리냐고 물었더니 의사는 뱃속에서 칼이 구시렁거리는 소리란다. 칼을 삼킨 적이 없다고 항의해 보지만 칼이 뱃속에서 움텄단다. 어떻게 칼이 뱃속에서 움틀 수가 있느냐고 힐난해도 의사는 표정 없는 독재자처럼 비웃을 뿐이다. 괴로운 세상을 삼켜 버리면 칼이 석순처럼 자란단다. 칼은 핏줄을 타고 온몸으로 가지를 뻗고 있으니 삼킨 문장을 토해내지 않으면 위태롭단다. 그동안 삼킨 말이 얼마나 자랐을까. 나는 술을 마셔 갖은 풍경을 토해보려 해도 칼은 밖으로 나오지 않는다. 너무 오래 세상을 견뎠나 보다.

여자의 외출

여자는 밖에 나가기만 하면 신발 한 짝을 잃어버리고 온다. 분명 발자국을 숨기기 위한 속셈이다. 나는 여자의 발자국을 찾으러 개를 뒤따라 보낸다. 개는 한 발자국도 물어오지 못하고 변명한다. 여자의 발자국은 너무 짜다. 나는 개의 눈동자에 묻은 여자의 발자국을 금세 발견하고 모른 체한다. 개는 배부른 목구멍에서 발자국을 토해 내 몰래 변기에 버리고 눈에 묻은 여자의 표정을 씻어낸다. 창문으로 철사보다 단단한 불빛이 방안을 엿본다.

뜨개뜨개

아무 것도 아닌 것에 대해 쓴다. 분실물에 대해, 잊어버린 꿈에 대해, 중독된 노래에 대해, 그리고 허공으로 도약하고 싶어 한 오래 전에 죽은 친구에 대해, 그의 눈에 대해 쓴다. 물고기의 언어에 대해

네 병실은 바흐의 칸타타가 울렸지. 창가에서는 풀잎이 숨 쉬는 소리가 들리고 플라스틱 단봉낙타가 너 대신 백일몽을 꾸었지. 안개꽃 같은 숨결로 너는 말했지. 여기 거울 속 맞지. 나는 눈으로 말했지. 너는 이 지상의 손님이야.

오늘도 나는 종작없이 걷는다. 찰흙 같은 어둠 속 밤이 너덜너덜하다. 멀리 있는 강이 푸드득거린다.

크래커로 만든 아이가 있었지. 생쥐를 키우고, 누가 내 머리에 똥을 눴어, 씩씩거리는 아이는 왼손으로 그림을 그리고 말을 거꾸로 했지. 집을 먹었어요 엄마도 먹고 동생도 먹었어요.

육식동물들이 길을 메우고, 길 건너에서 누군가 부르는 소리가 들린다. 오늘 '좋아요'를 몇 번 눌렀나.

거울을 깨고 나온 새, 태양 너머를 힐끗

종이 해바라기

언제부터 여기 있었던가.
오래되고 헐거운 개구멍 하나

세상의 쥐들과 갈 곳 잃은 돌멩이들
허기진 바람이 드나드는
따뜻한 어둠이 웅크린 극동극장으로
얼굴 감추고 들어온
우울 한 마리

두 눈을 충혈시켜 비상등을 켜고
종이 해바라기를 키운다.

가끔 배고픈 쥐들이 이파리를 갉고
바람이 꽃잎에 상처를 내지만
마지막 남은 숨결로
해바라기를 키운다.

개구멍으로 잠입하여

가슴 속에
철 지난 허수아비 같은
해바라기를 가꾼다.

언제부터 여기 있었던가.
세상의 개구멍 하나

꿈은 어둠 속에서 싹튼다.

풍경의 위독

그녀는 개를 친다. 그녀가 치는 개는 매일 집을 나가 어둠이 지붕을 적실 때까지도 돌아오지 않는다. 그녀의 없어진 개를 대신하여 나는 그녀의 발을 빨기도 하고 입술을 빨아주기도 한다. 그녀는 만족하지 못한다. 낮이면 없어진 개에 대한 기억 때문에 개가 된 나를 거들떠보지 않는다. 나는 그녀의 고통에 동참하지 못한 채 없어진 개에 대한 증오를 키운다. 하지만 개를 진정 증오할 수가 없다. 개에 대한 그녀의 생각이 사라질까 두렵기 때문이다.

새벽이면 어디론가 사라지는 개 때문에 그녀가 낮이면 나를 개로 키우지 않을까 무섭다. 그리하여 올 개를 위하여, 혹은 없어진 개를 위하여, 개로서 살 수 있는 날들을 위하여 기도한다.

개는 술이 취한 날이면 골목으로 나를 데리고 가서 훈련을 시킨다. 개가 되는 것은 유격 훈련만큼이나 어렵다. 나는 벽에 박힌 못에 걸리기도 하고 두레박처럼 목매달리기도 한다. 개는 비웃는다. 그녀로부터 쫓겨날까 두렵다. 나는 남몰래 저녁이면 이불을 쓰고 컹컹거리며 진짜 개가 되는 연습을 한다.

그녀의 사랑을 얻기 위하여 충실한 개처럼 살고 싶다. 소변을 볼 때 다리를 들고, 밥을 먹을 때 그릇을 혀로 핥고, 네발로 기어 다니며 컹컹거린다. 그녀는 처음에는 그런 나를 보며 좋아했다. 그러나 그녀는 금세 흥미를 잃었다.

나는 온통 인간의 찌꺼기를 뱉어냈다. 눈 덮인 겨울밤 컹컹 짖어대며 골목을 깨운다. 눈에 덮인 풍경은 일어날 줄 모르고 대문은 열리지 않는다. 눈이 오는 어둔 밤이면 그녀의 대문 앞에서 나는 목에 핏대를 세우고 집을 향해 짖는다.

배꼽

어느 슬픈 총상인가.

만지면 덧나는 가족사진처럼

감춰진 흉터에서는

쇳소리가 나고

과녁이 똬리를 튼다.

풍경에 절망한 눈

황폐한 길들에는

잉크가 묻지 않으니

총상의 깊이를 가늠할 수가 없다.

풍경을 잃어버린 도시

더 이상 과녁일 수 없는

눈

문고리보다 단단한 무덤

비의 정원

모르는 밤 속으로 모르는 누군가 들어선다. 모르는 마음속에 울퉁불퉁한 발자국이 찍힌다. 밤의 음계가 출렁이고, 철컥철컥, 환영들이 번쩍인다. 오래 전에 잊은 생각들이 꿈틀, 기호들이 나방인 양 파르르 떨면 몽롱한 울음이 색을 입고 밤하늘을 날아다닌다. 하얀색이 도는 갈색, 회색으로 얼룩진 노란색, 그리고, 찰랑이는 푸른 소리, 내가 모르는 시간 속으로 내가 모르는 누군가 옥타브 너머 음계를 밟는다.

아르페지오의 밤

사물들이 발기한다.

버스는 죽었다

버스는 죽었다. 총소리가 수상한 거리를 검색할 때 버스는 쓰레기처럼 거리에 버려진 채 문을 열어젖히고 누워버렸다. 죽은 사람들이 버스 안에서 기침을 하고 봄 감기에 떠는 회색 빌딩들이 조곡을 부르고 있었다. 골목 여기저기에서 살아 있는 사람들이 몰래 버스를 관찰하고 낡은 하늘에 찢어진 깃발을 내걸었다. 버스는 죽었다. 암호처럼 시체들을 가득 싣고 버스는 죽었다. 세기말로 향하는 길을 뚫어 놓은 채 해독되지 않은 문자로

게임은 끝났다

게임은 끝났다, 인서트 코인. 유배된 도시에서 하루라도 쉴 곳은 없다. 인서트 코인, 게임 오버. 돈을 넣어라. 죽음을 시험하지 않기 위해 고해하는 파리처럼 편안한 자리를 찾으면 안 돼. 돈을 넣어라. 게임은 끝났다. 인서트 코인, 게임 오버. 서두르지 않으면 인생은 조각난다. 급하다. 돈을 넣는 것보다 더 급한 일은 없다. 미리 말해주겠다. 어서 호주머니를 뒤져 돈을 찾아라. 죽음은 잘못 누른 버튼처럼 쉽고도 간편하게 온다. 한 손엔 돈을 또 한 손엔 버튼을. 해독을 기다릴 시간이 없다. 긴 총소리가 울리고

돈을 넣으면
하루가 복제된다.

어서 빨리. 인서트 코인, 게임 오버. 서둘러라. 돈이 바닥나면 내일은 없다. 코인만이 너를 살린다. 예약된 시간이 오기 전에 인서트 코인 인서트 코인. 낯선 시간이 몰려온다. 우리의 인생을 자동 저격하는 몰이꾼들이 온다.

여기저기 손을 쑤셔 봐도 바닥난
돈, 돈, 돈이 없다.

월정리

말없음으로도 묻지 않는다. 여기서는

네모나게 날아가는 바다로 가득한 창문, 고래가 될,
파도가 저만치 부스럭, 해안을 털어내면, 큼큼, 바람개
비들이 꿈처럼 비상하는

여기는 귀환불능지역입니다.

한 소식한 듯 바다를 끌고 다니는, 고래가 될, 무게 없
는 얼굴로 떠다니는 창문으로, 어제의 비가 내리고, 고
래가 될, 바삭한 한 컷의 시선이 한소끔 들어오는

해끔한
고래가 될

* 〈고래가 될〉은 제주도 구좌읍 월정리 카페

시에는 폭풍이 있다

시에는 폭풍이 있다

왜 시를 쓰는가? 날마다 수많은 시들이 발표되고, 시인들이 쏟아져 나오는데 왜 당신까지 시를 쓰려고 하는가? 이렇게 묻는 말들을 많이 듣는다. 술자리에서 그런 말을 들으며 허허 웃고만 적이 한 두 번이 아니다. 그런데 그 말은 집으로 돌아오는 길에서 내 영혼에 상처를 입힌다. 나는 왜 시를 쓰지? 백 년도 견딜 수 없는 나의 시는 소모품이 아닐까, 일회용 시는 아닐까, 하는 자괴감 같은 질문을 자신에게 수없이 던진다. 햄버거 같은 패스트푸드는 아닐까, 스마트폰처럼 취향이 수시로 바뀌는 시의 흐름 속에서 나의 시는 어디에 자리할 수 있을까? 두렵고 떨리기만 하다. 시인이란 나약하고 소심한 자여서 나는 내 영혼을 수없이 의심한다. 이 소음의 언어 시대, 수입 이론이 넘쳐나는 이 시대에 시를 쓴다는 것은 혼돈의 바벨탑을 한 층 더 쌓는 일은 아닐까. 더구나 대상과 자아 사이에서 언어가 매개체로서의 역할을 제대로 수행하는 경우는 거의 없기까지 하다. 언어는 나를 배반하고, 제 나름의 길을 갈 뿐이니 내가 표현하려는 어떤 의도를 갖는다는 것은 어불성설일지도 모른다.

이런 자괴와 절망 속에서도 나는 시 쓰기를 멈추지 않는다. 시를 쓰지 않고는 견디지 못하기 때문이다. 내가 시를 허툭, 잘 써서가 아니라 그 길이 내 영혼의 길이기 때문이다. 나는 이 우주에서 우발적인 존재이다. 모든 사물들이 원자들의 우발적인 마주침에 의해서 탄생되듯이 나의 시는 언어의 우발적인 존재다. 시란 언어의 무의미와 의미 사이 시공간에서 우발적으로 나타난다. 그 속에서 시인은 안식처를 찾고, 그 시공간이 자아와 대상 사이 어딘가라고 가늠한다. 시는 라이프니츠가 말한 수학의 허수(i)처럼 존재와 비존재 사이 영혼의 성스런 피난처이다. 나의 시는 언어의 해체와 결합을 반복하면서 제 길을 간다. 그 시를 제대로 읽고 못 읽고는 타인의 몫이다. 나는 세계를 규정할 수도 없고 자아를 내 보일 수도 없다. 내가 우발적인 존재이듯이 나의 언어 또한 우발적이기 때문이다. 하지만 한 가지 바람을 갖는다. 나의 언어가 누군가의 영혼에 가 닿아 그의 우주를 흔들리게 했으면 좋겠다.

나는 항상 언어에 기죽어 있고, 눈치를 보고, 떨리는 손으로 언어를 만진다. 아침에 일어나면 언어의 안부를 묻고, 저녁에 잠들기 전에 언어의 안녕을 기원한다. 얼마나 조마조마하겠는가? 그렇게 조마조마해도 결핍에의 욕구는 사라지지 않는다.

나에게 시란 결핍에 시달리는 서정적 자아가 타락한 언어 속을, 실체를 잃어버린 언어 속을 방황하는 정서이다. 다시 말하면 시는 근대적 이성을 배반한 문제적 자아가 본래적인 자아를 찾지 못하고 떠도는 영혼의 표현이다.

타락한 언어 속을 방황하는 서정적 자아는 이 지상의 어떤 언어로도 진정한 자아를 표현할 수 없다. 그러므로 늘 결핍에 시달린다. 이러한데 어떻게 시 쓰기를 멈출 수 있겠는가. 욕망 속 끝없는 방황이다. 그러나 시를 써 놓으면 금세 타락한 세계 속으로 내몰린다. 시인은 어떻게 보면 언어의 수형자인지도 모른다. 언어를 지향하나 언어는 결코 시인의 것이 될 수 없다. 이렇게 안달하다가 발견한 게 침묵이다. 나는 비트겐슈타인처럼 침묵을 지향한다. 비트겐슈타인은 언어로 표현할 수 없는 것은 침묵하라고 했다. 시인이 표현하고자 하는 것들은 침묵으로만 나타낼 수 있다. 침묵은 어떻게 표현할 수 있는가. 견딤이다. 침묵은 어디에나 있으며, 불교적인 것도 비언어적인 것도 아니며, 영혼의 텅 빔이다.

이 글을 쓰다가 중단하고 술을 한 잔 마신다. 독자여, 이해해 달라.

하루가 지났다. 머리가 깨질 듯이 아프다. 세상이 빙빙 돈다. 또 시를 생각해야 하나. 해야 한다. 왜냐하면 시를 쓸 수밖에 없는 존재이니까. 나는 현재 멍한 침묵이다. 술이 덜 깼다. 하지만 침묵은 나를 구제한다. 지금 나는 사람들이 붐비는 기차역에서 노트북 속을 헤매고 있지만 침묵 속을 거닐고 싶다. 나는 현재 시를 쓰고 있다는 상상으로 침묵 속을 거닐며 행복을 느낀다. 침묵은 텅 빔이고, 어디에나 있고, 나의 유일한 탈출구이다. 침묵이란 픽, 웃음 짓는 것이다. 가면 가고 오면 오는 것이다. 허수를 생각하는 사람이, 시를 생각하는 사람이, 오백 년 후는 생각지도 못하는 사람이, 우발적인 사람이, 언어에 시달리는 시인이 뭘 걱정하겠는가. 단지 불망어不妄語, 거짓말을 하지 말자. 시는 말의 눈치를 보고 말은 시를 곁눈질한다. 시와 언어는 애증의 관계이다. 끊임없이 해체되고 결합 되는 자의적인 존재가 굳어버리기 쉬운 언어를 말한다는 것은, 더욱이나 시를 말한다는 것은 어불성설이다. 지금 비가 내렸으면 좋겠다. 내 시 위에 비가, 내 언어 위에 침묵의 비가 내렸으면 좋겠다. 시는 절대 타락할 수가 없는데 언어가 타락되었다고 하는 이 비애 위에 처연하게 봄비가 내렸으면 좋겠다. 그러면 그 동안 했던 나의 거짓말들이 땅속으로 녹아들어갈 수 있을 것 같다.

시에는 초의식이 있다고 믿는 사람이 저만치서 픽, 웃는다.

미안하다, 시인이여. 4차원의 머리로 3차원에서 비굴하게 살아가는 너는 단지 거짓말을 하고 싶지 않고, 잘난체를 하고 싶지 않겠지. 백년도 견디지 못할 나의 시에게

미안하다. 나의 시를 읽는 독자에게 미안하다. 텅 빈 영혼
에는 아무 것도 없는데, 무언가 말을 하려고 하니 자꾸 어
긋나고 한 마디의 거짓말을 또 하고 있다는 생각에, 초의
식을 갖고 저만치서 픽, 웃고 있는 자에게 미안하다. 독자
여, 절대 나의 시는 읽지 말라. 다, 거짓말이므로. 한 마디
의 거짓말은 또 다른 거짓말을 낳으므로 시는 언어로 읽으
면 안 된다. 그냥 텅 빈 페이지의 침묵만을 읽어 달라. 침
묵의 페이지를 확인하고, 그리고 잊어버려라. 나는 곧 기
차를 탈 것이다. 당신의 봄날을 방해하고 싶지 않다. 언어,
말이든가, 빠롤이든가, 혹시 랑그? 언어여, 너는 늘 너의
길을 가고 싶어 하지만 내가 자꾸 불러내는구나. 나는 너
를 모른다. 모르면서 시를 쓴다. 실컷 비웃어라. 하지만 숨
을 만한 곳을 찾을 수 없구나. 단지 하나, 하나만 말하고
싶다.

언어, 너를 잘 모르지만 시에는 폭풍이 있다, 세계를 흔
드는.